树上的苹果不见了!

图书在版编目（CIP）数据

树上的苹果不见了！/（奥）威宁格著；（法）塔勒绘；杨玲玲，彭懿译. -- 北京：中信出版社，2016.3（2023.5 重印）
（遇见美好系列. 第1辑）
书名原文：Sharing is fun!
ISBN 978-7-5086-5702-8

Ⅰ. ①树… Ⅱ. ①威… ②塔… ③杨… ④彭… Ⅲ. ①儿童文学－图画故事－奥地利－现代 Ⅳ. ① I521.85

中国版本图书馆 CIP 数据核字（2015）第 277227 号

树上的苹果不见了！

著　　者：［奥］布丽吉特·威宁格
绘　　者：［法］伊芙·塔勒
译　　者：杨玲玲　彭　懿
出版发行：中信出版集团股份有限公司
（北京市朝阳区东三环北路27号嘉铭中心　邮编　100020）
承 印 者：山东韵杰文化科技有限公司

开　　本：889mm × 1194mm　1/16　　印　　张：2　　字　　数：17千字
版　　次：2016年3月第1版　　印　　次：2023年5月第32次印刷
京权图字：01-2015-5640
书　　号：ISBN 978-7-5086-5702-8
定　　价：19.80元

出　　品：中信儿童书店
策划编辑：张昭　喻之晓　何嘉珞
责任编辑：喻之晓
营销编辑：王澜
封面设计：[illegible]
内文排版：博远文化

树上的苹果不见了！

［奥］布丽吉特·威宁格 著　［法］伊芙·塔勒 绘

杨玲玲　彭懿 译

中信出版集团 | 北京

苹果熟了！

小老鼠麦克斯高兴极了，他在一块大大的旧纸板上写起了告示。

“你在写什么呢？”小刺猬亨利问。

“给朋友们的请帖呀！”麦克斯回答说。

“**来参加我们的苹果派对吧！——今晚在麦克斯家，不见不散**。”小老鼠读道。

“现在，我得去摘些苹果了。不过我的一条腿短，所以总是跌倒，你能帮帮我吗？”

“当然可以！”小刺猬亨利点点头。

麦克斯找来两个大袋子，他们出发去摘苹果了。

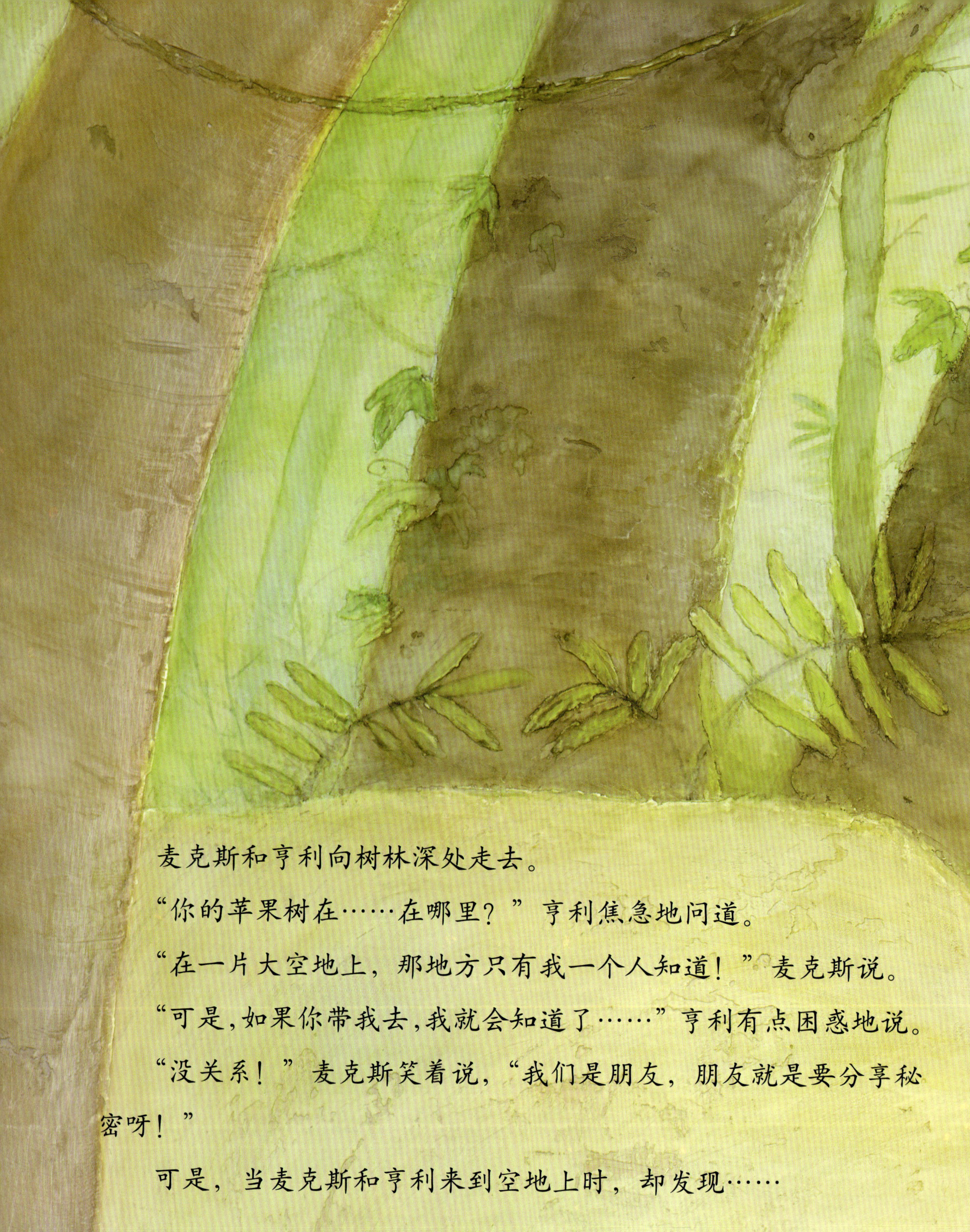

麦克斯和亨利向树林深处走去。

“你的苹果树在……在哪里？”亨利焦急地问道。

“在一片大空地上，那地方只有我一个人知道！”麦克斯说。

“可是，如果你带我去，我就会知道了……”亨利有点困惑地说。

“没关系！”麦克斯笑着说，“我们是朋友，朋友就是要分享秘密呀！”

可是，当麦克斯和亨利来到空地上时，却发现……

……树上一个苹果也没有了！

麦克斯呆呆地盯着树枝。“这也太不可思议了！”他说，“前天，树上还挂满了又大又红的苹果呢！”

“看来，是有人来过这儿，把所有的苹果都摘光了。”亨利叹了口气说，“走吧，麦克斯，咱们得告诉大家，苹果派对要取消了。”

他们难过地朝睡鼠瑞可家走去。

他们走到瑞可的地洞前，亨利一下子叫了起来：“看哪，麦克斯，我们的苹果在那儿！”

一向乐呵呵的麦克斯这下可真生气了。

“嘿！是你把树上的苹果都摘光了吗？”

“是呀！”瑞可得意地点点头，“这些苹果可真沉呀！”

“这么多苹果，你打算用来做什么呢？”亨利好奇地问。

“当然是吃掉喽！”瑞可回答。

“全……全归你一个人吃？”亨利结结巴巴地问。

“当然了，都是我一个人摘的呀。”瑞可说。

“那好，”麦克斯生气地说，“从现在起，你也一个人玩吧！我们不想和你这种人做朋友！”

小老鼠麦克斯一瘸一拐地往回走，亨利一路小跑，跟在他身边。

“他竟然要独吞？不想把苹果分享给大家……”麦克斯不停地嘟囔着，听上去快要哭了。

到家后，他把告示从树上撕下来，对亨利说："麻烦你告诉朋友们，苹果派对取消了。我想一个人待会儿，一会儿见！"

麦克斯关上了门，亨利赶紧跑去找莫莉。

“瑞可真是太小气了！”小鼹鼠莫莉生气地说，“那咱们的派对怎么办？”

“麦克斯把派对取消了。没有苹果，哪来的派对呢……”小刺猬叹着气说。

“那可不行！”莫莉喊道，“咱们还是得办一个！咱们来开个……开个松饼派对怎么样？就这么定了！昨天我捡了一些麦穗，磨成了面粉。我很乐意跟大家一起分享！”

她从橱柜里拿出一小袋面粉，跟亨利一起向池塘走去。

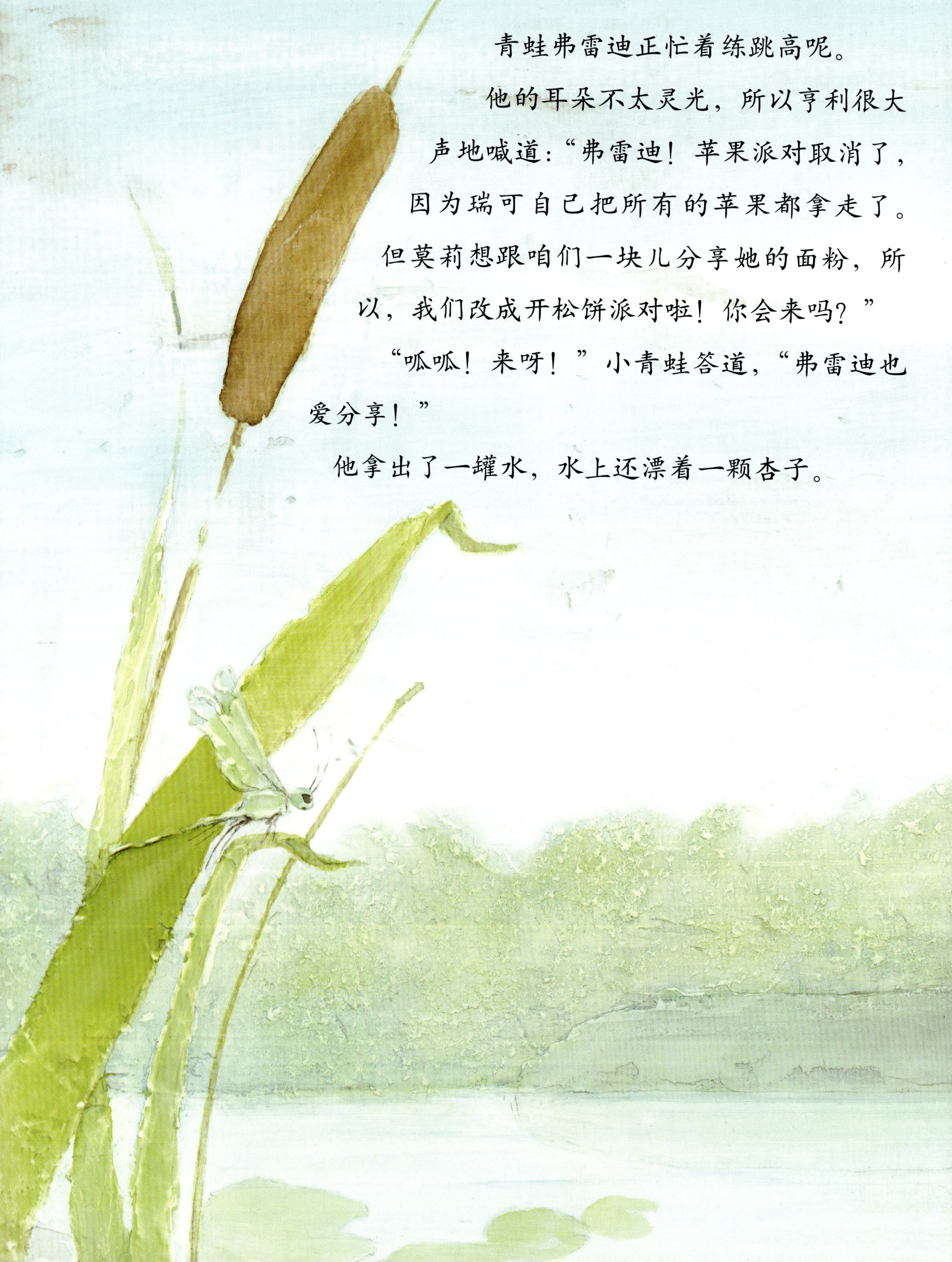

青蛙弗雷迪正忙着练跳高呢。

他的耳朵不太灵光，所以亨利很大声地喊道："弗雷迪！苹果派对取消了，因为瑞可自己把所有的苹果都拿走了。但莫莉想跟咱们一块儿分享她的面粉，所以，我们改成开松饼派对啦！你会来吗？"

"呱呱！来呀！"小青蛙答道，"弗雷迪也爱分享！"

他拿出了一罐水，水上还漂着一颗杏子。

“这是什么？”亨利问，“五个人分一颗杏子？”

但这时，一阵甜甜的杏子香味飘进了他的鼻子。“哇哦，闻起来真像是杏子汽水呢！”

“好香，好香！”弗雷迪点点头。接着，他们出发去找小黑鸟贝琳达。

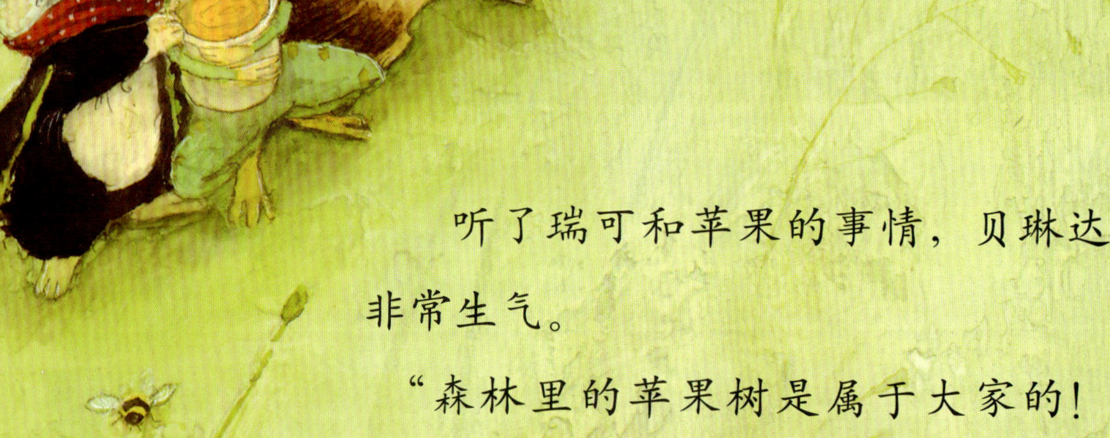

听了瑞可和苹果的事情，贝琳达非常生气。

“森林里的苹果树是属于大家的！他不能一个人把所有的苹果都拿走。可怜的麦克斯，他在哪儿？”

“在家呢，”亨利说，“他还不知道松饼派对的事。”

“那咱们不告诉他，给他一个惊喜吧！”贝琳达说，“快点儿，我马上装一筐虫子，然后……”

“别！”莫莉尖叫着，“我可不想吃虫子馅儿的甜松饼！”

“不是我们吃的，小傻瓜！”贝琳达笑着说，“是给母鸡的，我能用这筐虫子换几个鸡蛋。”

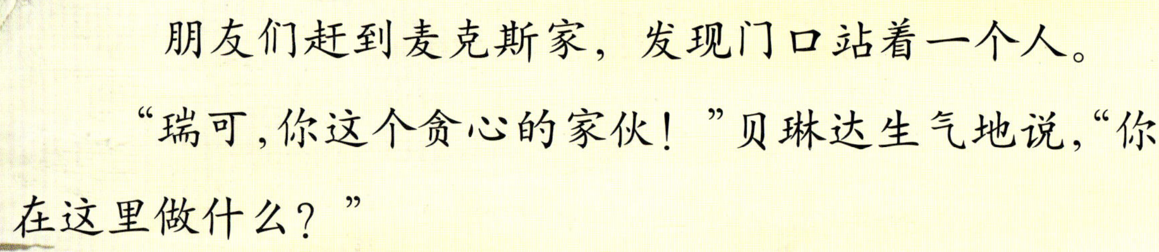

朋友们赶到麦克斯家，发现门口站着一个人。

“瑞可，你这个贪心的家伙！”贝琳达生气地说，“你在这里做什么？”

“对不起……我也不知道当时我是怎么想的，”瑞可说，“现在你们还想要这些苹果吗？一个人吃苹果、一个人玩儿，真是太没意思了。”

“谢谢你，瑞可。”麦克斯说，“看样子，咱们终于能开一个苹果派对啦！”

“但是，我们已经把松饼派对要用的东西都准备好了。”莫莉说。

“那我们就开一个苹果松饼派对吧！”瑞可笑着说，“我想麦克斯肯定有个大大的平底锅，还有好多黄油呢！”

“嘿，亨利去哪儿了？”麦克斯问。

不一会儿，他在灌木丛里找到了缩成一团的小刺猬。

“大家都有东西来……来分享，”亨利呜咽着说，“只有我……我什么都没有！”

“才不是呢！”麦克斯赶紧安慰他的好朋友，“快出来，看看你自己。”

亨利被弄糊涂了，但还是从灌木丛里慢慢爬了出来。

“你的刺上挂满了树枝呢。”麦克斯微笑着说，“没有你，我们怎么生火呀！你能再去找一些树枝吗？”

不一会儿，六个小伙伴就都忙起来了。

莫莉和弗雷迪负责和面，贝琳达和亨利在生火，瑞可把苹果切成薄片儿，麦克斯做出了一个大大的松饼！

他一边干活一边唱：

“分享，分享，分享最最幸福，

大家都来分享，人人都能满足，

我也有，你也有，

啦——啦——啦啦啦啦……”

“好啦！”麦克斯说，“现在我们只需要一点点魔法……”

麦克斯小心地把一些白色的东西撒在松饼上，然后把松饼切成了六块儿。

“这是什么？”亨利好奇地问。

“这是友谊魔粉，”麦克斯挤了挤眼睛说，“撒上友谊魔粉，不管咱们一起吃什么，都会更香甜！”然后，大家就埋头把松饼吃得干干净净，一点儿渣都不剩。

只有瑞可轻轻地唱道：

“分享，分享，分享最最幸福，
大家都来分享，人人都能满足，
我也有，你也有，
啦——啦——啦啦啦啦……”

怎么做苹果松饼呢？
你可以在这个网站上找到菜谱：www.minedition.com。

还有一个问题——
六个小伙伴吃这个大苹果松饼，平均每个人能吃到几片苹果呢？

有什么是可以分享的呢？
比如：秘密、悲伤、好主意和快乐！
你要跟朋友们分享什么呢？

[奥] 布丽吉特・威宁格

1960 年生于奥地利的库夫施泰因市，曾在幼儿园从教 20 年，非常熟悉儿童心理。1999 年成为自由作家，专门从事儿童文学写作。代表作有“小兔波力”系列等。作品曾获得奥本海姆白金图书奖和“奥地利最美童书”称号。威宁格的作品被译为 30 多种文字，深受各国儿童喜爱。现居故乡，愿望是活到 107 岁，天天快乐，尝试更多好玩的东西！

[法] 伊芙・塔勒

1956 年生于法国的米卢斯市，童年在德国度过。1981 年，她开始从事书籍插图创作，曾在出版社工作 18 年，为上百本书绘制过插图。现与两个儿子和同为插画家的丈夫居住在法国布列塔尼地区，养有三只狗、两只猫、两匹马和两头驴。她最爱的是弹钢琴、散步和坐马车出去玩！

扫一扫
收听本书故事